# Parent's Introduction

**Whether your child is a beginning, reluctant, or eager reader, this book offers a fun and easy way to support your child in reading.**

Developed with reading education specialists, We Both Read books invite you and your child to take turns reading aloud. You read the left-hand pages of the book, and your child reads the right-hand pages—which have been written at one of six early reading levels. The result is a wonderful new reading experience and faster reading development!

This is a special bilingual edition of a We Both Read book. On each page the text is in two languages. This offers the opportunity for you and your child to read in either language. It also offers the opportunity to learn new words in another language.

In some books, a few challenging words are introduced in the parent's text with **bold** lettering. Pointing out and discussing these words can help to build your child's reading vocabulary. If your child is a beginning reader, it may be helpful to run a finger under the text as each of you reads. Please also notice that a "talking parent" icon ⬡ precedes the parent's text, and a "talking child" icon ⬡ precedes the child's text.

If your child struggles with a word, you can encourage "sounding it out," but not all words can be sounded out. Your child might pick up clues about a difficult word from other words in the sentence or a picture on the page. If your child struggles with a word for more than five seconds, it is usually best to simply say the word.

As you read together, praise your child's efforts and keep the reading fun. Simply sharing the enjoyment of reading together will increase your child's skills and help to start your child on a lifetime of reading enjoyment!

## Introducción a los padres

**Tanto si su hijo es un lector principiante, reacio o ansioso, este libro le ofrece una manera fácil y divertida de ayudarlo en la lectura.**

Desarrollado con especialistas en educación de lectura, los libros We Both Read lo invitan a usted y a su hijo a turnarse para leer en voz alta. Usted lee las páginas de la izquierda del libro y su hijo lee las páginas de la derecha, que se han escrito en uno de los seis primeros niveles de lectura. ¡El resultado es una nueva y maravillosa experiencia de lectura y un desarrollo más rápido de la misma!

Esta es una edición especial bilingüe de un libro de We Both Read. En cada página el texto aparece en dos idiomas. Esto le ofrece la oportunidad de que usted y su hijo lean en cualquiera de los dos idiomas. También le ofrece la oportunidad de aprender nuevas palabras en otro idioma.

En algunos libros, se presentan en el texto de los padres algunas palabras difíciles con letras **en negrita.** Señalar y discutir estas palabras puede ayudar a desarrollar el vocabulario de lectura de su hijo. Si su hijo es un lector principiante, puede ser útil deslizar un dedo debajo del texto a medida que cada uno de ustedes lea. Tenga en cuenta también que un ícono de "padre que habla" ⊙⊙ precede al texto del padre y que un ícono de "niño que habla" ⊙ precede al texto del niño.

Si su hijo tiene dificultad con una palabra, puede animarlo a "pronunciarla", pero no todas las palabras se pueden pronunciar fácilmente. Su hijo puede obtener pistas sobre una palabra difícil a partir de otras palabras en la oración o de una imagen en la página. Si su hijo tiene dificultades con una palabra durante más de cinco segundos, por lo general es mejor decir simplemente la palabra.

Mientras leen juntos, elogie los esfuerzos de su hijo y mantenga la diversión de la lectura. ¡El simple hecho de compartir el placer de leer juntos aumentará las destrezas de su hijo y lo ayudará a que disfrute de la lectura para toda la vida!

# Ben and Becca Want a Pet
## *Ben y Beca quieren una mascota*

A We Both Read® Book
Level 2
Guided Reading: Level K

---

Text Copyright © 2018, 1998 by Sindy McKay
Illustrations Copyright © 1998 by Meredith Johnson
Translated by Yanitzia Canetti

We Both Read® is a trademark of Treasure Bay, Inc.
Editorial Services by Cambridge BrickHouse, Inc.
Bilingual adaptation © 2019 por Treasure Bay, Inc.

Published by / Publicado por
Treasure Bay, Inc.
P. O. Box 119
Novato, CA 94948 USA

Printed in China • Impreso en China

Library of Congress Catalog Card Number: 2018947822

ISBN: 978-1-60115-094-3

We Both Read® Books

Visit us online at:
WeBothRead.com

PR-7-21

# Ben and Becca Want a Pet
## *Ben y Beca quieren una mascota*

by Sindy McKay

Ilustrado por Meredith Johnson

Traducido por Yanitzia Canetti

This is a picture of my big sister and me.

My sister's name is Rebecca Elizabeth, but everyone calls her Becca. My mom says Becca is very strong-willed. I say, if there's something she wants, she usually gets it.

My name is Benjamín, but you can call me Ben.

———————◆———————

*Esta es una foto mía con mi hermana mayor.*

*Mi hermana se llama Rebeca Isabel, pero todos la llaman Beca. Mi madre dice que Beca es muy terca. Yo lo que sé es que si hay algo que se le antoja, por lo general lo consigue.*

*Mi nombre es Benjamín, pero puedes llamarme Ben.*

Sometimes Becca and I get along. A lot of the time we don't. But one time Becca and I wanted the same thing, and we worked together to get it.

Becca and I wanted a pet!

———◆———

*A veces, Beca y yo nos llevamos bien. Muchas otras, no. Pero una vez Beca y yo quisimos lo mismo, y trabajamos juntos para conseguirlo.*

*¡Beca y yo queríamos una mascota!*

We asked Mom about it, but she said it was up to our dad. So Becca and I pestered him about getting a pet for almost a month. Mom said she'd never seen two kids who were more **persistent**.

Le preguntamos a mamá sobre esto, pero ella dijo que dependía de nuestro papá. Así que Becca y yo lo molestamos por casi un mes para conseguir una mascota. Mamá dijo que nunca había visto a dos niños que fueran más **persistentes**.

I'm pretty sure **"persistent"** is a good thing.

I told Dad I wanted a snake named Killer. Becca said she wanted a kitten named Cupcake. Dad said we would be lucky to get a pet at all.

———◆———

*Estoy seguro de que **"persistente"** es algo bueno.*

*Le dije a papá que quería una serpiente llamada Matona. Beca dijo que quería un gatito llamado Turrón. Papá dijo que tendríamos suerte si lográbamos conseguir una mascota.*

5

"A pet is a big responsibility," he said. "Can you be **responsible**?"
I crossed-my-heart-and-hoped-to-die that I could. Becca said that she was *always* **responsible**. Dad was beginning to soften, so we started begging really hard, "Please, oh please, oh please . . ."

———————◆———————

—Una mascota es una gran responsabilidad —dijo—. ¿Pueden ser **responsables**?
Yo le juré con todo mi corazón que sí podía. Beca dijo que ella siempre ha sido **responsable**. Papá estaba comenzando a ablandarse, así que comenzamos a suplicar con más fuerza: —Por favor, ay por favor, por favor . . .

"Okay," said Dad. "If you both think you can be **responsible** and take good care of it, I will let you get a pet."

"YES!!!" Becca and I were so happy that we hugged, but just for a second.

———◆———

—Está bien —dijo papá—. Si ambos creen que pueden ser **responsables** y cuidar de una mascota, dejaré que tengan una.

—¡¡¡SÍ!!! —Beca y yo estábamos tan felices, que nos abrazamos, pero solo por un segundo.

Dad, Becca, and I headed for the mall. I said I was going to find the biggest, meanest-looking snake in the world! Becca said that was never going to happen. She said I wouldn't even want a snake after I saw the sweet little kittens the animal rescue people had brought in. The mall security **guard** held the door open for us.

———————◆———————

Papá, Beca y yo fuimos al centro comercial. Yo dije que iba a buscar la serpiente más grande y feroz del mundo. Beca dijo que eso nunca iba a suceder. Dijo que ni siquiera querría una serpiente después de ver los tiernos gatitos que habían traído los rescatistas de animales. El **guardia** de seguridad del centro comercial nos abrió la puerta.

Becca and I raced inside. The mall was full of people, but that didn't slow us down! We ran to the pet store as fast as we could. The **guard** ran after us and told us to slow down.

———————◆———————

*Beca y yo corrimos hacia dentro. El centro comercial estaba lleno de gente, ¡pero eso no nos quitó el impulso! Corrimos a la tienda de mascotas tan rápido como pudimos. El **guardia** corrió tras nosotros y nos dijo que fuéramos despacio.*

We dashed into the pet store and there, inside a big glass terrarium, was the greenest, shiniest snake I'd ever seen! A real "Killer"!

I lifted him out and felt his smooth, dry skin. He wasn't at all **slimy** like I thought he would be.

———————◆———————

Corrimos a la tienda de mascotas y allí, dentro de un gran terrario de cristal, ¡estaba la serpiente más verde y brillante que jamás haya visto! ¡Una verdadera "Matona"!

La levanté y sentí su piel suave y seca. No era en absoluto **babosa** como pensé que sería.

Becca was in another part of the store, looking at the kittens. I took Killer over to show her.

"Gross!" she said. "Why do you want a **slimy** old snake?"

I stuck Killer in her face and she screamed!

That's just why I want a snake.

———————◆———————

*Beca estaba en otra parte de la tienda, mirando los gatitos. Llevé a Matona para mostrársela.*

*—¡Qué asco! —dijo—. ¿Por qué quieres una serpiente vieja y **babosa**?*

*¡Puse a Matona en su cara y ella gritó!*

*Es precisamente por eso que quiero una serpiente.*

11

Becca ran off to tattle to Dad.

"Da-ad! Ben wants a slimy snake. Please inform him we are getting a fluffy kitten."

I held Killer up to Dad. "Admit it, Dad! This snake is **awesome!**" Killer's tongue darted out to say hello, then he began to **slither** up my arm to curl around my shoulder.

———————◆———————

*Beca corrió para irle con el chisme a papá.*

*—¡Pa-pá! Ben quiere una serpiente babosa. Por favor, dile que nos vamos a llevar un gatito peludito.*

*Alcé a Matona hacia papá. —¡Admítelo, papá! ¡Esta serpiente es **genial!***

*La lengua de Matona salió veloz para saludar, y luego comenzó a **deslizarse** por mi brazo para enroscarse alrededor de mi hombro.*

Dad had to admit it—Killer was cool.

"But," he said, "this pet is for both of you. Your sister has to like it too."

I tried to show Becca how **awesome** Killer was, but she said that a kitten that purrs was better than a snake that **slithers**.

———— ◆ ————

*Papá tuvo que admitirlo: Matona era genial.*

*—Pero —dijo— esta mascota es para ambos. Tiene que gustarle a tu hermana también.*

*Traté de mostrarle a Beca lo **genial** que era Matona, pero ella dijo que un gatito que ronroneaba era mejor que una serpiente que se **deslizaba**.*

Dad said, "I have to run some errands in the mall. You two stay here and make a decision about your pet." Then he left, reminding us to stay together and not to fight.

I looked at the amazing snake on my **shoulder** and decided there was only one thing to do.

———— ◆ ————

—Tengo que hacer algunos mandados en el centro comercial. Ustedes dos quédense aquí y tomen una decisión sobre su mascota —dijo papá. Luego se fue, recordándonos que permaneciéramos juntos y que no peleáramos.

Miré a la asombrosa serpiente en mi **hombro** y decidí que solo quedaba una cosa por hacer.

I had to make Becca see how great Killer was.

"Killer is so cool," I told her. "His skin comes off. He has no ears. He eats rats. He's great. He's wonderful! He's awesome!!"

Becca pointed to my **shoulder** and said, "He's gone!"

———◆———

*Tenía que hacer que Beca viera lo genial que era Matona.*

*—Matona es genial —le dije— Su piel se desprende. No tiene orejas. Come ratas. Es increíble. ¡Es maravillosa! ¡¡Es lo máximo!!*

*Beca señaló a mi **hombro** y dijo: —¡Se ha ido!*

It was true! Killer had slithered off my shoulder and disappeared. Becca and I **searched** the store, but we couldn't find him anywhere!

Becca was so mad her eyes almost popped out of her head. "Ben, you are sooo irresponsible! Now Dad is never going to let us get a pet."

———◆———

*¡Era cierto! Matona se había deslizado de mi hombro y había desaparecido. Beca y yo **buscamos** en la tienda, ¡pero no pudimos encontrarla en ninguna parte!*

*Beca estaba tan enojada que sus ojos casi se salían de sus órbitas.*

*—¡Ben, eres taaaaan irresponsable! Ahora papá nunca nos dejará tener una mascota.*

Becca was right. We had to find Killer or Dad would not let us get any pet.

I started to **search** the store again. I just had to find him!

———◆———

*Beca tenía razón. Teníamos que encontrar a Matona o papá no nos dejaría tener ninguna mascota.*

*Empecé a **buscar** otra vez por toda la tienda. ¡Solo era cuestión de encontrarla!*

**Suddenly** Becca screamed and pointed toward the wall. "There he is, Ben! Stop him before he gets away!"

I wasn't worried. After all, not even a snake can go through a wall. Unless, of course, there's a *hole* in the wall. Before I could stop him, Killer slipped into the hole and disappeared.

———————◆———————

**De repente**, Beca gritó y señaló hacia la pared. —¡Ahí está, Ben! ¡Detenla antes de que se vaya!

No estaba preocupado. Después de todo, ni siquiera una serpiente puede atravesar una pared. A menos que, por supuesto, haya un agujero en la pared. Antes de que pudiera detenerla, Matona se deslizó dentro del agujero y desapareció.

 "Perfect," said Becca. "Now we'll never find him!"

"Yes, we will," I said. But I didn't know how.

**Suddenly** we heard a scream from the music shop next door. I smiled at Becca. "See? I told you we would find him."

———————◆———————

—Perfecto —dijo Becca—. ¡Ahora nunca la encontraremos!

—Claro que la encontraremos —le dije. Pero no sabía cómo. **De repente** escuchamos un grito en la tienda de música que quedaba al lado. Le sonreí a Beca: —¿Ves? Te dije que la encontraríamos.

Becca and I raced next door and found a saleslady standing on top of the counter, screaming. She stopped screaming for a moment to politely ask, "May I help you?"

We told her we were looking for a snake and she pointed at Killer. Then she started to scream again.

———————◆———————

*Beca y yo corrimos al lado y encontramos a una vendedora parada encima del mostrador que gritaba. Por un momento dejó de gritar para preguntarnos cortésmente: —¿Puedo ayudarlos?*

*Le dijimos que estábamos buscando una serpiente y ella señaló a Matona. Luego comenzó a gritar otra vez.*

I told Becca to stay by the door so he couldn't get away. Then I ran over to grab him. I missed. Killer headed for the door at supersonic speed! I yelled for Becca to grab him, but she yelled back that she wouldn't even *touch* a snake.

———————◆———————

*Le dije a Beca que se quedara en la puerta para que no pudiera escapar. Luego corrí a agarrarla. Se me escapó. ¡Matona se dirigió a la puerta a una velocidad supersónica! Le grité a Beca que la agarrara, pero ella me gritó que ni siquiera la tocaría.*

21

Besides, Becca was nowhere near the door anymore. She was on top of the counter with the saleslady, and they were both screaming their guts out! I ran out the door after Killer.

———————◆———————

*Además, Beca ya no estaba cerca de la puerta. Estaba encima del mostrador con la vendedora, ¡y las dos gritaban! Yo salí corriendo por la puerta detrás de Matona.*

I saw him slither his way into a candy store. I started to run in after him. Suddenly Becca pushed me to the ground.

———◆———

*La vi deslizarse hacia una tienda de golosinas. Empecé a correr detrás de ella. De repente, Beca me empujó al suelo.*

She slapped her hand over my mouth and pointed. Inside the candy store was the security guard and inside a jar of candy sticks was Killer.

We held our breaths as the guard started to reach for a candy stick. We let out a sigh of relief when he decided to take a jawbreaker instead.

---◆---

*Ella me cubrió la boca con fuerza y señaló. Dentro de la tienda de dulces estaba el guardia de seguridad y dentro de un tarro de palillos de caramelo estaba Matona.*

*Contuvimos la respiración cuando el guardia trató de alcanzar un palillo de caramelo. Dejamos escapar un suspiro de alivio cuando, en vez de eso, decidió tomar un caramelo rompequijadas.*

The guard left and I shouted, "Quick, Becca! Grab Killer!"

Becca shouted back, "Are you crazy? I will never grab a slimy snake!"

While we were fighting, Killer went back out into the mall.

———————◆———————

*El guardia se fue y grité: —¡Rápido, Beca! ¡Agarra a Matona!*

*Beca me gritó: —¿Estás loco? ¡Nunca agarraré una serpiente babosa!*

*Mientras peleábamos, Matona se adentró de nuevo en el centro comercial.*

Becca and I ran after him, dodging and weaving through people as we searched the crowded mall. I bumped into a guy with a hot dog and totally freaked when I saw his hot dog moving!

Then I **realized** it was not a hot dog. It was Killer.

———————◆———————

*Beca y yo corrimos tras ella, zigzagueando y esquivando a la gente mientras buscábamos en el concurrido centro comercial. ¡Choqué contra un tipo que sostenía un perro caliente y vaya susto que me llevé cuando vi que su perro caliente se movía!*

*Entonces **me di cuenta** de que no era un perro caliente. ¡Era Matona!*

The man **realized** it too. He threw his hot dog bun
into the air. It came down on top of a lady's head.
Killer crawled out of the bun and began to slither
down her neck. Boy, did she scream!

———————◆———————

*El hombre también **se dio cuenta**. Lanzó al aire su
panecillo de perro caliente, que vino a dar sobre la
cabeza de una señora. Matona salió del panecillo y
comenzó a deslizarse por su cuello. ¡Vaya, qué manera
de gritar!*

Now everyone knew there was a snake in the mall and things went totally crazy. People ran into stores! Out to their cars! Up onto benches! Into the trash cans! Becca said it was "mass hysteria."

And it was all because of a little green snake.

———————◆———————

*Ahora ya todos sabían que había una serpiente en el centro comercial y las cosas se salieron completamente de control. ¡La gente se metía corriendo en las tiendas! ¡Corrían a sus carros! ¡Se subían a los bancos! ¡Se metían en los botes de basura! Beca dijo que había una "histeria colectiva".*

*Y todo era por una pequeña serpiente verde.*

Becca and I looked around. The crowd was gone now—except for the people in the trash cans. It should have been easy to find Killer.

It *should* have been, but it wasn't.

———————◆———————

*Beca y yo miramos alrededor. La multitud ya no estaba, excepto las personas en los botes de basura. Debió haber sido fácil encontrar a Matona.*

*Debió haber sido, pero no fue así.*

"Let's just forget it, Becca. We're never going to find him."

"Don't worry. We're going to find him," Becca said. "And that disgusting snake is not going to escape again."

"But how will we find him?"

Becca said all we had to do was listen.

———————◆———————

*—Olvidémonos de esto, Beca. Nunca la encontraremos.*

*—No te preocupes. Vamos a encontrarla —dijo Beca—. Y esa repugnante serpiente no va a escaparse de nuevo.*

*—¿Pero cómo vamos a encontrarla?*

*Beca dijo que todo lo que teníamos que hacer era escuchar.*

Becca was right because just then we heard a shriek. It came from the dress shop across the way.

A screaming lady ran out of the door. Becca and I ran in to look for Killer.

————◆————

*Beca tenía razón porque justo en ese momento escuchamos un grito. Venía de la tienda de vestidos al otro lado.*

*Una mujer salió corriendo y gritando por la puerta. Beca y yo entramos corriendo a buscar a Matona.*

I spotted Killer scooting under a dressing room door so I scooted in after him. Inside a lady was putting on a belt—only it wasn't really a belt she was putting on. It was Killer!

I was so excited I shouted, "There's my *snake*!"

The woman screamed and dropped Killer.

———————◆———————

*Vi a Matona deslizándose por debajo de la puerta de un vestidor, así que me escabullí tras ella. Dentro, una señora se estaba poniendo un cinturón, pero no era realmente un cinturón lo que se estaba poniendo. ¡Era Matona!*

*Estaba tan emocionado que grité: —¡Ahí está mi serpiente!*

*La mujer gritó y soltó a Matona.*

I grabbed for him, but someone grabbed me first. It was the security guard.

"You're in big trouble, young man."

He said it wasn't nice to scare people by saying there was a snake in the store. I told him there really was a snake, but I don't think he believed me.

———◆———

*Traté de agarrarla, pero alguien me agarró antes. Era el guardia de seguridad.*

*—Estás en un gran problema, jovencito.*

*Me dijo que no estaba bien asustar a la gente diciendo que había una serpiente en la tienda. Le dije que de verdad había una serpiente, pero me parece que no me creyó.*

The guard was taking me to his security station when Becca ran up and tried to explain things. He didn't believe her either. The only way to make him believe us was to show him the snake. To do that, Becca had to catch Killer.

The guard was right. I was in big trouble.

———————◆———————

*El guardia me llevaba a la estación de seguridad cuando Beca corrió e intentó explicarle las cosas. Él tampoco le creyó. La única forma de que nos creyera era mostrarle la serpiente. Para hacer eso, Beca tenía que atrapar a Matona.*

*El guardia tenía razón. Estaba en un gran problema.*

"Don't worry," said Becca. "I'm going to catch that sneaky, slimy snake. I won't like it, but I'll do it!" And off she ran to find Killer.

This would be the hardest thing Becca would ever do.

———————◆———————

—No te preocupes —dijo Beca—. Voy a atrapar a esa serpiente astuta y resbalosa. No me gustará hacerlo, ¡pero lo haré!

Y corrió a buscar a Matona.

Esto sería la cosa más difícil que Beca haría en su vida.

Becca told me later that it took every ounce of courage in her whole entire body to pick up Killer, but she was surprised when she felt his smooth, cool skin. He wrapped himself around her arm and she raced through the mall to show him to the security guard.

———————◆———————

*Beca me dijo más tarde que necesitó todo el valor de su cuerpo para agarrar a Matona, pero se sorprendió cuando sintió su piel suave y fría. Se enroscó en su brazo y ella corrió por el centro comercial para mostrársela al guardia de seguridad.*

Boy, was I happy to see Becca and that snake! She held him up to the security guard's face. "See?" she said. "There really was a snake."

The guard took one look at Killer and fainted. I think he finally believed us.

———————◆———————

*¡Estaba feliz de ver a Beca y a la serpiente! Ella la puso en la cara del guardia de seguridad.*

*—¿Ves? —dijo ella—. Realmente había una serpiente.*

*El guardia miró a Matona y se desmayó. Creo que finalmente nos creyó.*

"Let's not tell Dad about this," Becca suggested as we hurried back to the pet store. "No need to upset him."

But we did tell Dad about it. All of it. And we admitted that a pet was a pretty big responsibility—one that maybe we weren't ready for yet.

————◆————

*—No le digamos nada a papá —sugirió Beca mientras nos apresurábamos a regresar a la tienda de mascotas—. No hay necesidad de molestarlo.*

*Pero le contamos todo a papá. Todo lo que pasó. Y admitimos que una mascota era una gran responsabilidad, una para la que quizás aún no estábamos listos.*

We waited for Dad to yell at us, but he didn't yell. He smiled! "A big pet can be a lot of work," he said. "Why don't we start out small."

Then he took something from behind his back.

———————◆———————

*Esperábamos que papá nos regañara, pero no lo hizo. ¡Él sonrió! —Una mascota grande puede dar mucho trabajo —dijo—. ¿Por qué no empezamos con una pequeña?*

*Luego sacó algo de atrás de su espalda.*

 "Oh, my gosh, it's a **hamster**," Becca squealed as she took the little fur ball from Dad. "He's the cutest little thing in the whole entire world!"

"He's not cute," I said. "He's a Killer!"

And that's the story of how my sister and I got a pet.

———————◆———————

—¡Oh, qué lindo, es un **hámster**! —chilló Beca mientras le quitaba la pequeña bola de pelo a papá—. ¡Es la cosita más linda del mundo!

—No es lindo —dije—. ¡Es un Matón!

Y así fue la historia de cómo mi hermana y yo conseguimos una mascota.

As we left the mall with our new **hamster**, we saw the security guard. I told him I was sorry about what happened with the old Killer. I asked him if he wanted to meet the new Killer, but he said, "NO THANKS!"

I wonder why.

———————◆———————

*Cuando salimos del centro comercial con nuestro nuevo **hámster**, vimos al guardia de seguridad. Le dije que lamentaba lo que sucedió con la vieja Matona. Le pregunté si quería conocer al nuevo Matón, pero dijo:*
—*¡NO, GRACIAS!*

*Me pregunto por qué.*

If you liked **Ben and Becca Want a Pet** here are other
We Both Read® books you are sure to enjoy!

*Si te gustó **Ben y Beca quieren una mascota**, ¡seguramente
disfrutarás estos otros libros de la serie We Both Read®!*

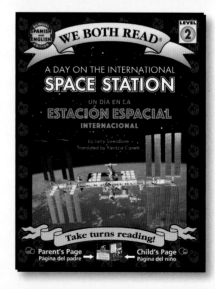

To see all the We Both Read books that are available,
just go online to **WeBothRead.com**.

*Para ver todos los libros disponibles de la serie We Both Read®,
visita nuestra página web: **WeBothRead.com**.*